# LES ÉDITIONS BALLADE À LA LUNE

SOPHIE MARIE VAN DER PAS

# Cette légèreté

Les Éditions Ballade à la Lune

© Les Éditions Ballade à la Lune.
editions-ballade-a-la-lune.com

1 rue Honoré - 93500 Pantin.

ISBN 978-2-38295-002-9

Dépôt légal : Mars 2021

# Cette légèreté

Des poèmes courts qui permettent de prendre le temps de lire, de s'arrêter, de se laisser aller aux évocations, puis de relier tous les détails, les mélodies engendrées par le choix des mots, les silences.

Ainsi la voix de la chanteuse-auteure-compositrice-interprète que nous avons autrefois entendue avec bonheur sait encore se faire entendre. Sophie Marie vient nous parler en amie et discrètement, sans effraction, elle nous invite au partage de ses visions, de ses émotions, de ses questionnements.

Ainsi parvient-elle à éveiller et stimuler le cœur poétique caché en chacun de nous.

Ouvrir ce recueil de poèmes, s'engager à y voyager librement, c'est entrer très simplement et profondément en Poésie. Avec légèreté.

Gilles Méchin

JE

Les mots
sont la terre
de nos ongles

une porte
à pousser
pour savoir
l'homme
travail du taiseux
silence du poète
certains matins
sèment
d'autres
paressent

les mains de l'enfant
jouent
elles travaillent

L'heure passe
pas les secondes

je les ouvre

au sourire
de les vivre
écrin de voix
palais de silence
dans mes mains
je les vois comme
les petits pois
comptés
roulés
au creux du tablier

Mes veines gonflent
je m'amuse
avec le sang
prisonnier
je plie les doigts
ils craquent
je ris de la complainte
la petite fille
en moi compte
les osselets
le bruit de cascade
quand ils roulent
à cinq
dans le creux
de la main
accroupie
tu suis
la fin de l'enfance
le mulot
dans la gueule du chat

Reprendre le chant
mon ventre palpite
d'un accord souterrain
ma gorge roule ses oiseaux
comme berce une mère
je pose mon inquiétude
sur tes yeux d'écoute
tes bleus rasent le silence
les muscles se réchauffent
mon souffle de voyelles
grave
l'océan des musiques
infini

ma voix transperce la parole

Tu sais
le travail
de fourmi
quand tu prends
chaque mot
délicat
pour l'embellir
tu l'essaies
à l'envers
tu retournes
la phrase
il te renvoie
une autre lumière
fenêtre du jour
alors tu lis
ce que tu n'osais
pas écrire
éblouie être deux

Épices et zestes
se déploient
sur la langue
ils travaillent en nous
l'équilibre
le corps
la couleur des pays
le jour
où
je parfume
un poème
je vous vois
en reprendre deux fois
gourmandise
dans la mie du partage

Il y a cette douleur
blanche
dans le dos
je ne m'en occupe pas
pointe
dans les os
je l'apprivoise
à chaque souffle
elle me le rappelle
chaque soir
je suis vivante
je lui murmure
merci
ailleurs
tant d'épées
fleurs de poirier

Au texte des cordages
la colère troue la voix
ce qui reste du creux
dans la langue
se souvient
de toutes les tumeurs
des torsions du désir
nœuds et kystes s'emmêlent
sous les peaux
laver le pus
des conflits infectés
traverser les malaises
dans le ciel
le chant du coq

Travail de soies
à redonner
une couche
au printemps
j'entends parler
le poème
Il sait glisser
ne dit rien d'inutile
les gouttes
coulent
sur le bois
l'arbre nourri
se souvient
d'une soif
j'étais près de la source
ivre de ma jeunesse
allongée sous sa bouche

Peau de silence
isoloir de soi
hier
elle a gagné le centre
de nos baisers debout

corps perdu elle ose
écouter
plus haut
ce que changent
les visages

la solitude
toujours
cette dépouille

Recommencement
comment
tendre les bras
vers l'aube
la tristesse
dilue le noir
dans le lait du matin
où va le gris
mélancolie du jour
l'appel
sous les paupières
fait bailler
les volets
se lever
regard flou
dans le café miroir
déplier le jardin
sous l'œil perçant
du merle
en attente des fruits
les fraises
déjà

Le poème apprend
à garder tous les rêves
dans un cahier de jour
il note les taches de nuit
comme une histoires lue
dans le marc de café
certains matins d'oubli
que font les rêves
du sommeil
à travers le poème
ils marchent près de nous
et tout devient réel
plus rien ne s'oppose
faire de chaque nuit un matin

J'avance
j'avance près de vous
je souris
ne pas parler
ne rien dire
surtout
ne rien dire
se taire
je fais venir
sur mon territoire
ce que je comprends
de vous
j'entends
j'écoute
votre langue
belle
quelqu'un marche
pieds gelés

s'il s'arrête
je lui donne ma clé

Couverte par les mots
ma voix monte
résonne
saute le passé
saute le souvenir
elle est là
entre balancement
de l'enfance
et la douleur du chant
échouée sur les rochers
ma voix gonfle
sur la solitude
sur la vague
elle s'effondre
à l'estuaire
de larmes incertaines
voix qui vient
se briser
sous l'intime
de l'atelier

Quand le premier mot
longe l'allée
je m'installe sur le banc
je sais qu'il aime bavarder
l'air doux écoute
la terre se tait
même s'il n'a rien à dire
il marque son passage
dans un second silence
le vent salue
touche mon épaule
je m'appuie sur sa joue
le mot me prend la main
je lui apprends le poème

J'ai percuté
le monde
Quelque chose est sorti
- par là -
je passe dans un autre piège
le silence
autrement
j'ai traversé des boues
des cloisons inutiles
maintenant me voilà
- par là-
légèreté d'un rideau
Tu oscilles
d'un côté l'équilibre
de l'autre le fracas
infiltration du poème
dans le ciment
des pierres
tu auras ce qu'il faut
à nouveau des berceuses
pour entendre les murs

Le goût de croquer
mai
dans la poignée de fruits
réveil des gestes
comme si on partait
se pencher
ramasser
les fraises des bois
au loin le chemin
d'où viennent
les secrets

l'enfance
les trouées d'histoire
la cape
au fond du panier

Il faudrait dire
la paume du soleil

baume de la peau
sur le corps
pourquoi les morts
ont encore leurs os
d'éternité

il faudrait dire
la chambre à deux

et les lilas de miel
en bras et en abeilles
comment une voix
trouble la pensée
nos sagesses

il faudrait dire
l'enfant du ventre
sous le flanc de la main
les poings cognant
aux parois du temps
tous les corps en morceaux
les rassembler

La poésie surgit
humilité
des choses
comme un pinceau
posé
sur une toile brute
le poème vit
dans le vivant
du souffle
il s'élève
comme le regard
du peintre
lorsqu'il vient saisir
le nuage et le geste
le poète
celui qui reste
à terre
prend le vide et le plein
pour comprendre
la seule rencontre possible
le couteau et le pain

J'attrape le soir
avec mes mains de ciel
l'innocence
à l'agonie du jour
meurt
la perfection des choses
se dérobe
au centre de l'haleine
l'enfance
comme une mue
tire la langue
hors des murs
l'évidence du vide
sang
de l'adolescence
dans l'ombre de l'assassin
la blancheur retrouvée
le saut
le vol

Mains glacées
les lilas blancs libèrent
les sucres du printemps
ils m'emprisonnent
l'odeur et le poids du silence
me rattrapent
une vague honte d'être vivante
l'encens brûle
le banc
colle ses parfums d'église
sur mes jambes de cire
dehors
c'est l'heure des siestes longues
prairies au goût de trèfles
naissances au bruit du sang
dors ma belle
dans la douceur du lait

Je pose
ma dépouille
hier laisse au matin
des chagrins
j'efface les peaux mortes
nuque de bois
bouche sèche
l'effort est grand
jusqu'au sourire doux
que j'accorde
aux blessures
écailles d'un souvenir
derrière moi
je force les barbelés
l'autre côté m'attend
j'entends mon sang
battre dans mon pays

Le poème voyage
il se glisse
dans le roman
pour donner son avis
mon chat n'est pas d'accord
il s'étale sur la page
je caresse le poème
le chat dans les bras
songeuse
j'ai endormi le roman

Je sens le printemps
la lumière change
janvier râle
une lettre
arrive gelée
les nouvelles
grelottent
le café brûlant
fume
ce calme d'hiver
interroge
ailleurs
les chaleurs s'étalent
j'attrape mon châle
les îles m'entourent
l'été commence son voyage

Là
à l'ombre
de l' aile
au ciel du soir
il soupire
la porte
les murs
les épaules
là
sans le voir
il coule dans la gorge
flou
des nausées sans épines
un malaise
rôdeur
quelque chose d'hier
un désir
une plume
il saigne dans le cou
le chagrin

Le soir résiste
lune rousse
le sommeil
ronge ses ongles
l'insomnie baille
circuit des couloirs
les heures marchent
dans les oubliettes
l'oreiller a froid
il murmure
le vilain
un refrain
Colas mon p'tit frère
Les Dieux s'invitent
à goûter des biscuits
des ombres
s'installent
au festin du matin
la nuit relève son épaule
blanche

Espace
l'hiver
craque ses bois
le feu brûle dehors
le gel casse
je voudrais échanger
ma place
quitter la vitre
au bord des reflets
m'habiller de neige
surprendre la lune
perdue
qui m'écoute chanter
un soir
rencontre du froid
d'hiver
sous la buée des loups
c'est mon ombre
révélée
dans les pas de la meute

Sans mot
ce soir
traversée de l'absence
pas d'écriture
de colères
l'idée rassure
c'est l'hiver
désosser la rime
me demande des dents
et un cri
la cage
aux barreaux de rêve
m'attend
j'entends les sources
les trains de nuit
demain change
d'armure
d'allure
ma clé ouvre vos silences

Dans la nuit
toujours neuve
jalouse
de lectures
je n'irai pas
dormir
sans savoir
ce qui se dit
entre les lignes
prendre les fibres
tisser chaque page
réinventer le peu
pour rouler
sur les bleus du silence

Quand dort le silence
les instants se taisent
dans les plis
du poème...
je sais pourquoi
j'écris dans mon sommeil.

# LA TERRE

Suis-je insolente
à vouloir écrire
dans mon agonie
au visage livide
le doute
je martèle la pierre
et la misère des chairs
suis-je simplement
dans l'enclos des forêts
écoutant une plainte
sous le sabot des bêtes
un voile étrangle la neige
aux pieds de sang
mes mots
de nudité
j'aurais tenté d'écrire

Laissons courir le mot
loin très loin
laissons le
s'essouffler
se blesser
s'étouffer
d'autres forces
en soi
l'herbe volontaire
courageuse
visible
aux creux des marches
le sang nourrit
ce que raconte
l'effort
la pierre
entrouverte

Se fondre
dans le vert
recueillir tous les bruits
des feuilles dépliées
qui ne connaissent
rien
de la neige effacée
tresser
mille brindilles
avec les courageux
voler
de nids en nids
pour chasser
le coucou
printemps
creux des naissances
tu peins
même la pluie
les billes de rosée
en astre et en salive
prennent le goût de menthe

Avril se moque des pluies
parfums fragiles
traversée
des matins
neufs
le verger
envahi d'herbes
balaie
les bourrasques
épuisées
de mars
l'enfance s'habille
de jupes et de rires
complices
les éphémères
volent un brin de lumière
les primevères
attendent
ne rien perdre
le cerisier en fleurs

Comme un arbre
à l'aube
branches si fines
à terre
sous la gifle du vent
lorsqu'une nuit
brouillonne
et tire sa révérence
visage neuf
je me cache dans l'écorce
pour écouter
la sève
comme un arbre
je m'étire jusqu'au fil
de l'épeire
dans la soie des regards

La bruine fine
brille
sur le plat du jour
l'herbe tendre
la fleur de thym
la veine grasse
près du champ de colza
légumes printaniers
sauce corail
cœur coulant des rivières

les yeux salivent
au mois de mai

Hier
j'étais seule
j'ai parlé
aux oiseaux
Chacun
a déposé
une note
j'ai appris
la chanson
elle a trotté
dans ma tête
ce matin
j'ai offert
chaque note
à chaque fleur
midi moins quart
le jardin ne dit rien
il écoute

Tout en bas d'une branche
en transperçant l'écorce
le fleuve en moi
toujours est un miroir
le regard recule
aux remous des saumons
les pattes des grues
longent l'hiver
les berges interdites
ont-elles trouvé la place
pour un nid de roseaux
suis-je à nouveau
réponse
aux becs du printemps
Loire sauvage
cet animal

J'ai reçu
un bouquet de nuages
avant
je l'aurais posé
dans mon vase bleu
par peur
qu'il ne goutte
là
je l'offre
aux blés tendus
vers le ciel
il peut
crever
sur le champ
la flaque vous racontera
ses parfums
dans la langue du vent

Ce brouillard-tombe
sarcophage du soir
colle comme
le scarabée
sur le jus des jardins
toute sève soupèse
le poids de la soie
le jour ploie
de neige légère
voile dérisoire
le soir
nettoie
l'humidité
l'été
se cherche
aveugle

Retourner
au suintement des plaies
par chuchotis d'abeilles
celles qui soignent
en déposant le miel
au creux de la douleur
pansement
se laisser dévorer
peau neuve léchée
feuille aux nervures d'été
la douleur passe du temps
à écouter
parfois quand
la jambe est coupée
elle chante la vie
pas toujours

Juillet de pluies
insectes
recroquevillés
sur les feuilles
du bouleau
rendez-vous
des oiseaux
pour une dégustation
d'orage
je comprends le régal
où l'instant est offrande
et peut-être ma place
à reprendre confiance
à l'égal du moineau
solitaire
venu pour le partage
suspendue au feuillage
une mésange
charbonnière
me regarde à l'envers
l'œil du poème

Ne pas écrire
se rendre utile
aux gestes de surprise
éplucher les fruits mûrs
froisser les herbes en fleurs
ne pas écrire
pétrir la langue
aux matins de l'été
respirer les ferments
et les mouiller d'épices
ne pas écrire
c'est casser le noyau
inonder de silence
l'essence du poème
comme un vent de désir

Mon âme pauvre
le soleil fredonne
je dépose mes feuilles
à vos pieds d'été
égoïste à oser
me passer de vous
dans mes poches
le poème frémit de colère
vacances vacances
comme tu y vas
mon âme plie
sa maison
je longe le ruisseau
mes feuilles respirent
à nouveau
comme ma jupe de juillet
la samba
se découvre
soleil pour témoin

Dans l'étirement des lumières
les cailloux de granit
sous les mousses
respirent
le chaos des pierres
se réserve l'écho
les ombres ricochent
dans les sauts des enfants
éclaboussant l'été
le rire appartient aux rivières

Au bout du jour
l'ordinaire de l'été
ligne bientôt floue
moulinée de nuages
l'appel des derniers chants
l'épuisement des feuilles
et des herbes mourantes
questionnent
les cris s'estompent
le chat s'absente
déloge la chaleur
des troènes
le vide s'épaissit
ce silence
lourd à dire
qui va parler du soir
avant d'ouvrir la nuit

Nul doute
je m'occupe
des feuilles à froisser
des fruits à sentir
et puis
ce rien d'été
qui s'attarde
sous les pages
brûlantes
la langueur
même à l'ombre
du tilleul
le quinze août est solide
le corps chasse
l'effort
l'esprit frôle
une idée
l'automne sommeille
dans ses noix
au gouffre du rien
où la flaque s'évapore
il y a cet éclat
vers ceux que j'ai aimés
un voyage

Le gel tisse une toile
sous la bise
suis-je à ma place
dans le vide
des transparences
où se cache l'oiseau
dans l'hiver
bleu des glaces
mon regard avance
rien ne meurt
à mes yeux
l'espoir d'un soleil
la réponse de l'arbre
les larmes
viennent du froid
toujours le sel en moi
mouillées
elles ne peuvent tarir
qu'en épousant le givre
tout en haut de la branche

Le froid
a un parfum de bûches
la neige
ne sent que le mouillé
comme un chien
à l'affut
dans les fossés froissés
de cendres
toujours grises
la plage
a le pelage des phoques
juste léchée par la mer
souviens toi
le temps ne sèche pas
l'hiver n'en finit plus
de caresser la vague

Une dernière fois
ramasser
l'hiver

si j'évoque le froid
aux paumes découvertes
c'est que les doigts
s'écartent
pour effacer la neige
les braises
sous les cendres tièdes
éclairent le passage
vers le creux
du printemps
je recueille le vent
souffrant
de trop de nuits
l'herbe fière
réveille une prière

# L'EAU

Suis-je
au balbutiement
du poème
vers quelle ombre
irai-je sur la route
qui m'observe
casser
les cailloux du doute
je souffle
sur les poussières
pour trouver
les pavés de l'enfance
oubliée
les nids plus hauts  fragiles

Ce geste de patience
qui mord le creux du froid
écartèle les doigts
pour griffer de ses ongles
le gel de nos paresses
dans l'ombre des rideaux
soulever les paupières
du vent neuf
rattraper la source
sous les mousses tendres
et froisser le drap
des fatigues blanches
ne plus rôder
l'hiver ne fait plus peur
les primevères
aux doigts de la patience
plus fortes
dans l'éveil de la terre

Matin
mécanique rouillée
d'un dimanche
la vie en sommeil
les paupières
décollent l'horizon
les harpes s'accordent
dans le pré
un commencement
la rosée d'avril
mouille
les jambes nues
de l'enfant
entre ciel et terre
il court
rejoindre
la porte du ruisseau

Comment progresser
dans le vide
broyer le bord
se pencher
je voudrais
tomber sur ta pierre
éclater
dans le déchirement
du mot
détruire la tendresse
lasse du ruisseau
mains creuses
aux ongles rongés
d'hésitation
je cherche le dos
la coque du navire
et tes yeux bleus pour partir

Juillet s'étale
l'eau manque
la terre se protège
comme elle peut
le chat aussi
dort
sous les hortensias
fraîcheur des bleu
les creux se devinent
la mer immense
pourrait remonter la source
nous purifier
pour couler au jardin
mais le sel
poison du sol
laisse son amertume
dans la terre infertile
où va la sagesse
quand le poème a soif

Je reprends un peu d'été
juste un soupçon
cubes cognés
de menthe
paille
aux airs de parasol
des livres
plein la tête
juillet s'agite
avec ses bulles rondes
ta peau
restée à l'ombre
seule
je retourne
au sable bouleversant
à l'enfant
que je suis
je garde ton sourire sous l'eau

Vos ailes demoiselles
effleurent un rêve d'eau
corps à l'esquisse fine
je serai libellule
peut-être funambule
à tenter l'équilibre
où es-tu donc ce soir
quand le pollen s'envole
à l'eau de la rivière
que je cherche les mousses
du caillou solitaire
vas-tu suivre ma trace
émotion
fleur de poème
je t'ai trouvée
les remous chantent
les saponaires exultent

L'hiver
lâche un sanglot
se cogne
aux roches bleues
pour parler
de regrets
il s'effondre
à genoux
devant
la lune blanche
dans la mémoire
des flaques
l'attente
au bout du cri
laisse le choisir sa vague
la fonte est le ruisseau
tu lui diras
l'été coule sans couteau

J'ai blessé l'ami
sans couteau
je n'ai pas vu la plaie
elle s'est fondue
dans mon silence
les mots de rivière
ont poursuivi la route
cailloux de l'un
algues de l'autre
le mélange et l'absence
lâcheté du silence
sous le théâtre des paroles
la lune
je lui dis ma tristesse
l'ami
vient de voir la lune
nous sommes trois amis
maintenant

Mouvances
rires et sourires
contre rides
et grimaces
la mer dans sa robe
berce d'ombres
les humeurs des sillons
ourlets d'écume
en gestes de frissons
la vie rabat
les boucles de chair
épaissit la jeunesse

maternité bruyante
traces d'enfant
raku du ventre

aux secrets enfermés
les plis
tant de rubans au vent

Je reprends vie
la vague me bouscule
je la bois
elle m'éclabousse
nous jouons
je suis dans l'enfance
à rire sous l'eau
mes doigts
caressant le sable
plus fin
que l'année dernière
cherchant
le poisson bavard
à qui lâcher
mes bulles
le premier bain
de sel
renouvellement
infime écaille du monde

Comme abandonnée
la mer juste
si juste
s'ébroue
ne laisse qu'une crinière
sur son passage
qui va t - elle retrouver
en s'effaçant
dans son galop
reconnaître nos souffles

TU

S'il pleut sur moi
c'est qu'il pleut en moi
j'ai du mal
à essuyer les gouttes
tu devrais être
un rayon de soleil
me sécher
et tu n'es plus que l'ombre
tu as froid
moi aussi
pouvons-nous
encore
nous tromper
la mer
ce refuge

Écris-moi
une lettre fanée
pèse plus
qu'un chagrin
je relis l'encre pâle
sous les mots
de poussières
poèmes nus
tes mains pleines
d'été
écris-moi
aujourd'hui
tes soifs à l'autre bouche
et d'autres lèvres encore
les miennes
transparentes
sur le papier de soie
tu t'es trompé de fruit

Le présent exprime
la mémoire
dedans
le noyau
j'avance dans ce choix
l'enjambée
la clarté du passé
j'apprends
le désir
le ciel
le poème
ce qu'il me faut
ouvrir le temps
étrange
de voir les oies passer

Je pense
aux mains douces qui font la nuit

à l'instant toujours vivant
qui existe

à chacune des mémoires
gravées au fond de nous

je pense
à ce qui reste
d'un amour
la solitude des mains

Pieds figés
au bitume glissant
crasse
crevasses
devant ton immeuble
regard levé
sur les arbres
plastiques déchiquetés
banlieue
claquant d'indifférence
ton quotidien
je t'envoie ce matin
mon bouquet d'avril
avec l'eau de la mer
et son vase
sculpté de falaises

Tout ce ciel
fables de nuages
baigne
le  matin

les blancs s'évadent
gris

tout ce ciel
ivre d'images
d'ignorance
de traits d'oiseaux
s'habille
de silhouettes

je te vois pousser
loin de moi
un désir de ciel

premières neiges

Je ne connais pas la nuit
qui t'emporte
opaque et tourmenté
loin de moi
Sais-tu
mes songes
mes croix
mes ténèbres
je tends les bras
de l'ombre
vers ton corps
je touche un espoir
dans mon hésitation
ta main revit
me trouve
ta peau n'a plus de peurs
je sens le baiser
minuscule
que tu m'offres
il couvre mes yeux de nuit

Dans le carquois
de ma mémoire
au fond de
la chambre d'ivoire
la trace d'une flèche
nos corps
embrasés jusqu'à l'os
jusqu'au soleil
d'or et de feu
près de l'oubli je dépose
ton nom
sans importance
l'oiseau seul
sait retrouver le ciel

J'apprends le mime
celui des lèvres
du silence
tous les cris se reposent
Ne crissent que les toux
sur les phrases
mouillées
de salive inutile
j'observe le poisson
il me dit des mots
qui sont tombés dans l'eau
la prochaine fois
dans mon bocal
je soufflerai dans l'eau
pour parler dans les bulles
je deviendrai je crois
un poisson lune
je te raconterai les mots
du soir
que tu ne connais pas

De vous à moi
chevauchant
l'imaginaire
j'apprends
le noir qui brûle
je me souviens
d'une nuit de cauchemar
où ma mère est venue
ouvrir
une petite boite
où deux danseuses
tournaient
je me souviens
des petits chats
tout noirs
et du voisin
venu pour les noyer
nuit de cris
et tes bras de nuit douce
mon amour
étoffe de baisers

Peu de choses à dire
si peu
matin mauve
duvets
nids de brume
si tôt
la soif
aux lèvres bleues de nuit
peu de choses à dire
si loin
rêves pleins  la gorge
si près
peau du jour

ton sourire
au creux de mon épaule

Je guette l'arbre
l'écureuil
devant moi
replie les mains
sur sa noix
en prières
comme lui
union
de nos respirations
poitrines
d'un même cœur
feux des regards
maintenant
rares
la fuite impossible
le risque de l'autre

Que nous délie
l'imprévu de la nuit
nappe d'un certain silence

une épave
écaillée

que nous laisse le rêve
morcelé dans nos os
par la présence  des peurs

un horizon de taches

les chairs du jour
révèlent
des lambeaux

le vide relie le corps

Ne dis rien
tu as déjà tout dit
l'envie
le risque
le passage

ne dis
que le silence
mordant
du ciseau
dans la cicatrice
de la pierre

dis le peu
des poussières

augmente les

Désobéir
l'hiver
claque encore
aux épaules
écharpe enroulée
à nos bouches
ce qui s'ébroue
au jardin
est rosée
de pétales
de neuf
et de nu
tu pousses du coude
le froid voyageur
tu cherches la truite
au premier remous
l'écureuil s'arrête
il écoute
le printemps des poètes

Dans la douleur de l'autre
j'enlace un peu la mienne
sans poser de questions
à tes hanches  boiteuses
à tes cernes  de feu
je pose mon attente
pour t'entendre me dire
qu'être deux

voilà tout

*Impression Books on Demand GmbH*
*In de Tarpen 42*
*22848 Norderstedt, Allemagne*